ACTIVISION®

Le présent volume contient les épisodes 6 et 7 et trois histoires courtes publiées
dans les épisodes 4 à 5 de la série régulière Skylanders, publiée aux USA par IDW.

Illustration de couverture : Fico Ossio
Traduction : Marianne Feraud
Lettrage : Fred Urek

© 2016 Glénat pour la présente édition française.
www.glenatbd.com
Éditions Glénat - Couvent Sainte-Cécile - 37 rue Servan - 38000 Grenoble
Dépôt légal : mai 2016
I.S.B.N. : 978-2-344-01601-5
Achevé d'imprimer en Espagne en mai 2016 par INDICE S.L.,
sur papier provenant de forêts gérées de manière durable.

4 – LE RETOUR DU ROI DRAGON
(1ère partie)

Scénario
RON MARZ & DAVID A. RODRIGUEZ

Dessin
FICO OSSIO,
AURELIO MAZZARA & SALVATORE COSTANZA

Couleur
DAVID GARCIA CRUZ & TOMATO FARM

Lettrage original
DERON BENNETT

Éditeur original
DAVID HEDGECOCK POUR IDW

Glénat

LE CLOU DU SPECTACLE

Scénario : **RON MARZ & DAVID A. RODRIGUEZ**
Dessin : **SALVATORE COSTANZA**
Couleur : **TOMATO FARM**

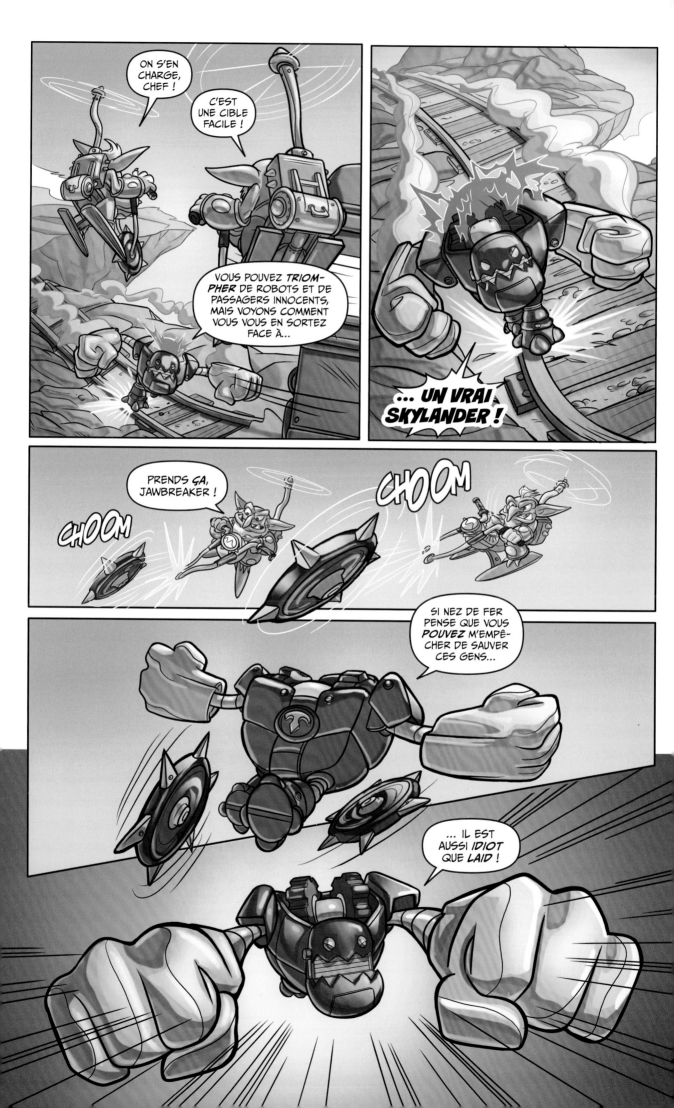

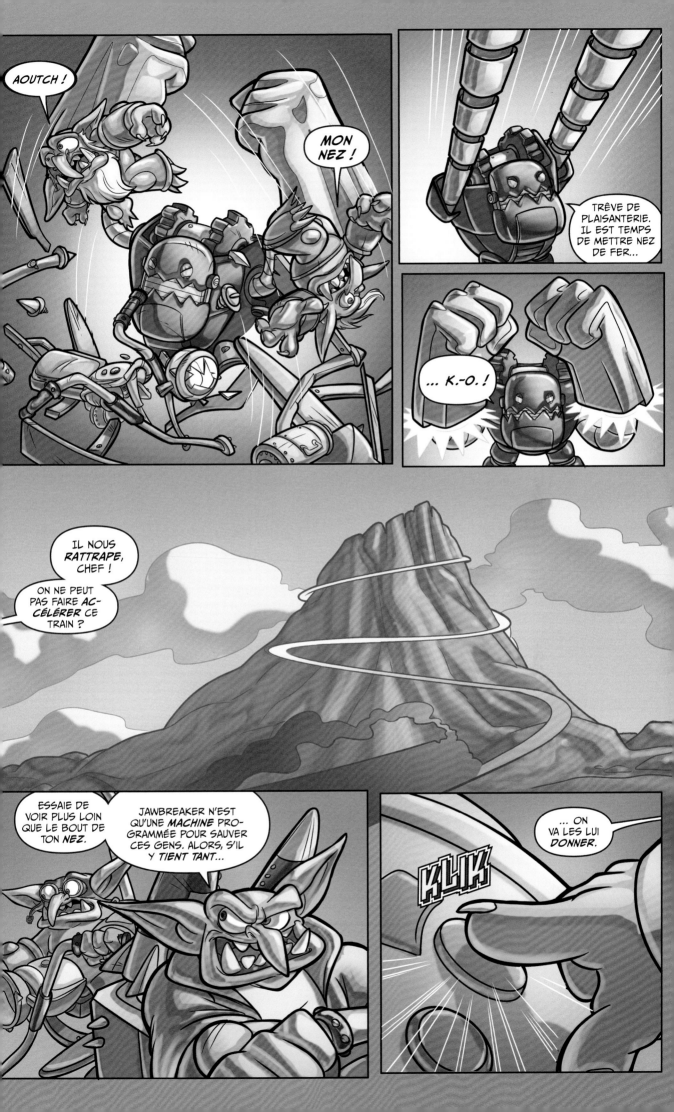

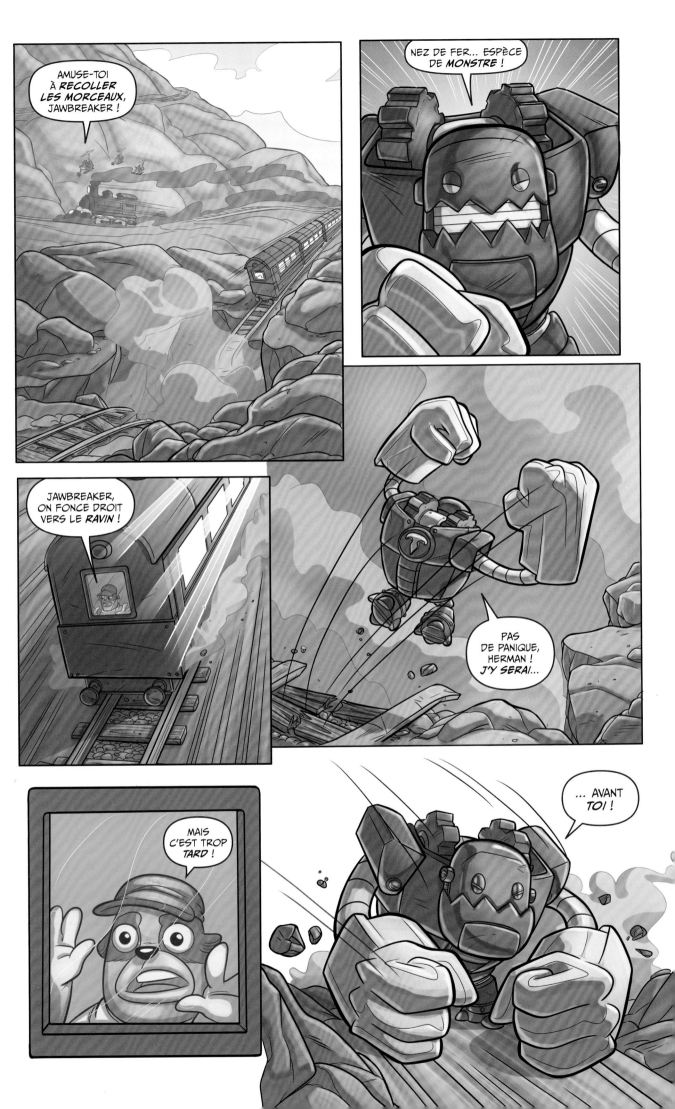

CE N'EST PAS *VRAI*, JAWBREAKER ! N'ABANDONNE PAS !

TU PEUX LE *FAIRE*, TU ES MON *HÉROS* !

J'AVAIS BESOIN *D'ENTENDRE* ÇA, HERMAN !

SI JE SUIS DIGNE D'ÊTRE UN HÉROS, ALORS, JE SUIS *PLUS* QU'UNE MACHINE...

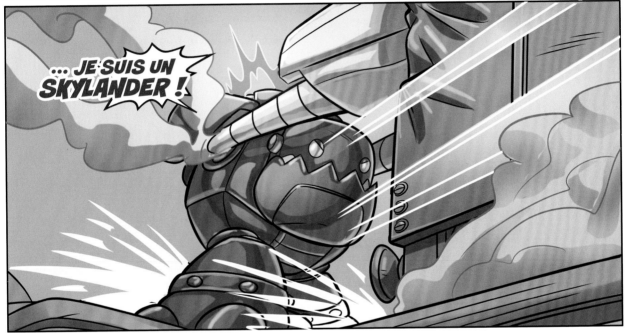

... JE SUIS UN *SKYLANDER* !

C'ÉTAIT QUOI, ÇA ?

ON S'EST *ARRÊTÉS* ?

NON, ON EST TOUJOURS EN *MOUVE-MENT*...

... MAIS ON *REMONTE* !

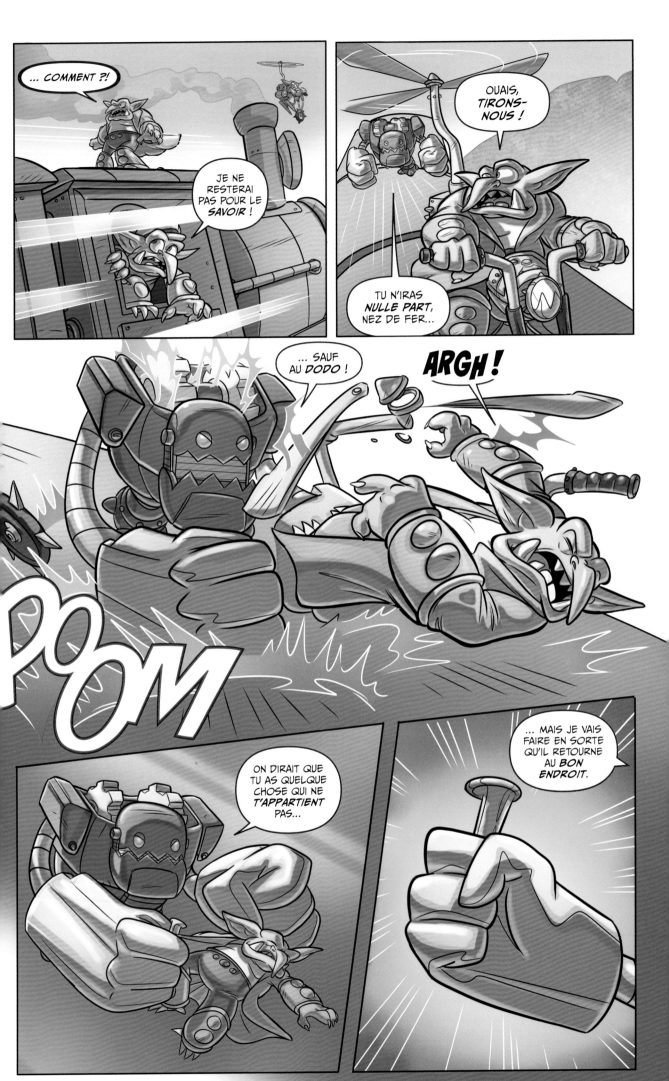

LA FÉE SAUVÉE DES EAUX

Scénario : **RON MARZ & DAVID A. RODRIGUEZ**
Dessin : **MIKE BOWDEN**
Couleur : **DAVID GARCIA CRUZ**

QUELLE MAGNI-FIQUE JOURNÉE POUR ÊTRE UN SKYLANDER !

D'UN AUTRE CÔTÉ, C'EST COMME ÇA TOUS LES JOURS !

À L'AIDE !

JE SUIS COINCÉE !

RIEN DANS LE CHAPEAU...

... MAIS AJOUTEZ UN PEU DE *MAGIE*...

... ET VOTRE VISAGE S'ILLUMINE D'UN *GRAND SOURIRE*.

QUEL TALENT, HEX !

C'EST *FANTASTIQUE* !

JE N'AURAIS JAMAIS IMAGINÉ QU'UN VRAI *SKYLANDER* ORGANI-SERAIT UN SPECTACLE DE BIENFAISANCE À FONDUBOIS !

LE TOUR EST JOUÉ

Scénario : **RON MARZ & DAVID A. RODRIGUEZ**
Dessin : **MIKE BOWDEN**
Couleur : **DAVID GARCIA**

POUR MON PROCHAIN TOUR, J'AURAI BESOIN D'UN *VOLONTAIRE* DANS LE PUBLIC.

MOI !

NON, MOI !

MOI !

JE VEUX Y ALLER !

MOI, HEX ! CHOISIS-MOI !

TU FERAS UNE ASSISTANTE TOUT À FAIT FÉÉRIQUE. COMMENT *T'APPELLES*-TU ?

OH, MERCI ! JE SUIS *CALLIOPE* !

JE SUIS TELLEMENT EXCITÉE D'ÊTRE *AUSSI PROCHE* DE L'UNE DES MEILLEURES SKYLANDERS !

C'EST GENTIL.

JE ME SUIS SENTIE *BIZARRE* PENDANT UN MOMENT, MAIS ÇA VA MIEUX.

NE T'INQUIÈTE PAS, JE PEUX *ENCORE* TROUVER TA CARTE.

DIS-MOI, CALLIOPE...

... EST-CE QUE TA CARTE ÉTAIT LE *SEPT DE CRÂNE* ?

OUI !

C'EST *FABULEUX*, HEX !

VRAIMENT MAGIQUE !

YOU-HOU !

COMMENT *FAIT-ELLE* ÇA ?

IL EST *TOUJOURS* BON D'AVOIR PLUS D'UN TOUR DANS SON SAC.

FIN

AUTREFOIS CONTRÔLÉE PAR LE DRAGON MORT-VIVANT *MALEFOR*, CYNDER S'EST AFFRANCHIE DE SON INFLUEN-CE MALÉFIQUE POUR DEVENIR L'UNE DES SKYLANDERS LES PLUS *LOYALES*...

... ET LES PLUS *PUISSANTES*. MAIS CE GOLEM DE CRIS-TAL PEUT-IL LA TER-RASSER ALORS QU'ELLE A LE DOS TOURNÉ ?

NON ! IL NE PEUT *RIEN* CONTRE SON *ÉCLAIR NOIR !*

CYNDER REMPORTE LA *VICTOIRE*, COMME TOUT LE MONDE L'AVAIT PRÉVU !

ET COMME SI VOIR UN SKYLANDER EN ACTION *D'AUSSI PRÈS* NE SUFFISAIT PAS...

... CYNDER VA *RENCONTRER* QUELQUES FANS CHANCEUX À L'EX-TÉRIEUR DE L'ARÈNE.

A SUIVRE !

IL N'Y A PAS QUE ÇA. ON SAIT QUE VOUS TRANS-PORTEZ DES *LINGOTS D'OR*. OÙ LES AVEZ-VOUS PLANQUÉS ?

ON VA LIVRER DES *JOUETS* AUX WILIKINS. IL N'Y A PAS DE *LINGOTS* SUR CE BATEAU !

VOUS VOYEZ ?

DES BALLES REBONDIS-SANTES !

J'AI TROUVÉ UNE *TRAPPE* SOUS CES CAISSES, CAPI-TAINE ! C'EST LÀ QU'ILS DOIVENT CACHER *L'OR* !

OUUFF !

YIIIIIII !

WHOOSH

EN FAIT, ON CACHE BIEN *QUELQUE CHOSE*...

... ÇA M'EST ARRIVÉ À *MOI* AUSSI.

NOM D'UNE SARDINE FRÉTILLANTE ! TU AS UNE MINE *ÉPOUVANTABLE* !

MAGS, ON NE DIT PAS DES *CHOSES PAREILLES* !

HEX !

SILENCE, VOUS DEUX. HEX, QUI T'A FAIT ÇA ?

J'AI ÉTÉ *PRISE EN EMBUSCADE* PAR DES GUERRIERS DROWS À L'EXTÉRIEUR DES MARÉCAGES ET JE N'AI PU LANCER AUCUN SORT *PUISSANT*.

VIENS, JE VAIS TE SCANNER. PEUT-ÊTRE QU'EN COMPARANT LES RÉSULTATS, JE POURRAI TROUVER...

J'AI EU DE LA CHANCE DE LES BATTRE.

CE QUI NOUS ARRIVE À SPYRO ET À MOI NE PEUT PAS ÊTRE DÉTECTÉ PAR TA *TECHNOLOGIE*, MAGS. ÇA SUINTE LA *MAGIE*.

IL NOUS FAUT *PERSÉPHONE* !